iculata

oia glyptostroboides

rpus fortunei

obium japonicum

s fimbriata

冬天，
很高兴认识你！

winter

中国植物
很高兴认识你

米莱童书 著/绘

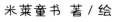

Armeniaca mume

Ficus microcarpa

Platycladus orientalis

Pteridium aquilinum

Narcissus tazetta

北京理工大学出版社
BEIJING INSTITUTE OF TECHNOLOGY PRESS

让你的童年，与植物为友

小朋友，你有没有这样的好奇：放学回家路上的那棵树叫什么名字？石缝里的苔藓也是植物吗，为什么和其他植物长得不一样？为什么有的植物叶片宽宽大大的，有的细细小小的呢？为什么冬天有的树会掉光叶子，它们光秃秃的不怕冷吗？粮食、蔬菜和水果是怎么从田野中长出来的？除此之外，你是不是还想到过这样的问题：为什么语文课本的诗词里面有很多植物的名字？我们的餐桌上，没有植物会怎样？春天爸爸炒的香椿为什么那么美味，为什么不能一年四季吃到它？妈妈在窗台上种的一盆盆小"多肉"会开花吗？

当你问到这些问题时，欢迎你，进入神奇的植物世界！植物是我们人类亲密的朋友，可以说我们的一生都离不开它。植物是宇宙中不可思议的神奇创造，千百年来，人们与草木和谐共生。老杏树下，孔子设坛传道授业；林荫道边，亚里士多德与学生边散步边探讨学问；菩提树下，释迦牟尼静坐七天七夜，顿悟成佛；达尔文在与大自然的亲密接触中萌发了科学兴趣，最终走向科学之路。古今中外，很多思想者、文学家、艺术家、发明家、科学家都是从植物中获得灵感，发挥了巨大的想象力而创造出不起的作品。人们愿意与植物为友，因为植物让人宁静，启发人的灵性。

打开这本书，你将走进一场心灵治愈之旅，感受植物的美好。跟随春、夏、秋、冬四季的脚步，认识40种具有鲜明特色的中国植物。这些植物在我国都有漫长的生长历史，都有自己独特的故事。你的家乡无论是在内蒙古草原还是青藏高原，无论是在西北大漠还是江南水乡，你都能从书里找到自己家乡的植物。从高耸入云的参天大树，到低矮呆萌的多肉植物，从"三千年不倒"的沙漠"勇士"，到"穿越"亿万年的孑遗"元老"，你都能从书里找到最喜欢的植物。

你会发现，植物既美丽又浪漫，既智慧又坚强。所以爸爸妈妈会把你们带到大自然中去，陶冶情操，接受大自然艺术的熏陶。植物虽然不会说话，但它们有着惊人的生存策略、强大的繁衍力量，植物比人类更早诞生在地球上，亿万年来，它们进化出坚强的基因，延续着古老的血脉。它们在大自然生态系统中占有重要地位，植物的生存智慧绝妙而神奇，给人们带来了探索不尽的启示。

你会发现，植物除了告诉我们生命的密码，还赋予我们文化的意义。小小的植物，竟能够改变历史，影响世界文明。从丝绸之路到大唐盛世，从二十四节气到《诗经》《楚辞》，植物与我们中国人有着深厚的文化渊源。

　　当你看完这本书，就有了新的眼光去看待这个世界——你看到的不再只是花红柳绿的风景，而能看穿花朵吸引传粉的"心机"；你将学会欣赏叶子变化多端的颜色与形状，探索植物保护自己的"法宝"；母亲节来临时你会送妈妈一束萱草，因为你知道它是中国人的母亲花；你还会区分那些"同名异物""同物异名"的植物，甚至帮大人解答一些常识性问题……我相信你一定会特别有成就感。偷偷告诉你，如果你尝试亲手栽种一盆花草，亲自浇灌它，观察生命一步步绽放，你将收获超出想象的惊喜！

　　如果你问我，为什么要认识植物？我想说，从植物身上能感受到大自然蓬勃向上的精神。这种精神就如同一粒种子，在你的内心发芽，长出一个饱满而丰盈的世界。植物，是大自然送给你们的幸福一生的礼物。

　　四季轮回，万物更送。植物承载着春的希望，挥洒着夏的率性，饱含着秋的殷实，酝酿着冬的含蓄。植物的四季变化会激发出我们无限的想象力。孩子，当你看完这本书，去寻找书里的植物吧，多留意下身旁的花草树木。如果有可能，当假期来临的时候，抛开手机、电脑这些科技"怪物"一会儿，穿着舒适的衣服和鞋子，在爸爸妈妈的陪伴下，选择一个风和日丽的好天气，去森林和田野吧，躺在青草地上，尽情呼吸植物美妙的气息，聆听鸟儿快乐的啼鸣，感受大自然的和谐，你会发现这比虚幻的网络世界更有价值。

　　从今天起，试着关注身边的植物吧。尝试与植物做朋友，慢下来，驻足、观察、凝视它们。当你懂得了植物的魅力，学会去欣赏它、守护它，你就学会了尊重和爱，这种可贵的素养将沉淀为生命的底色。

　　从今天起，热爱植物，拥抱大自然，感恩生命，敬畏世间万物。

　　走，向大自然出发！

北京大学终身讲席教授

中国植物学会理事

苏都莫日根

首席顾问

苏都莫日根　北京大学终身讲席教授

　　　　　　中国植物学会理事

特约审阅

胡　君　中国科学院大学植物生态学博士

　　　　中国科学院成都生物研究所助理研究员

付其迪　中国林业科学研究院林学硕士

　　　　中国科学院植物研究所植物科学数据中心数据管理员

米莱童书

　　由国内多位资深童书编辑、插画家组成的原创童书研发平台，"中国好书"大奖得主、"桂冠童书"得主、中国出版"原动力"大奖得主。现为中国新闻出版业科技与标准重点实验室（跨领域综合方向）授牌的中国青少年科普内容研发与推广基地，致力于对传统童书进行内容与形式的升级迭代，开发一流原创童书作品，使其更加适应当代中国家庭的阅读与学习需求。

原创团队

策 划 人：	刘润东　魏　诺
创作编辑：	韩路弯　刘彦朋
绘画组：	杨　静　都一乐　叶子隽　金思琴　吴鹏飞
	徐　烨　臧书灿
科学画绘制组：	吴慧莹　滕　乐　刘　然　阮识翰
美术设计：	刘雅宁　张立佳　孔繁国

自然寻踪

萌萌的多肉植物

瓦松

22

最有气节的花

26

梅

专题：

46

植物"大家谱"

水果的冬季聚会

柑橘

6

10

植物界的"活化石"

水杉

14

天地人和的古树

槐

18

热带的名片

棕榈

独木也成林

榕树

30

34

四季常绿的硬汉

侧柏

38

少女的舞裙

水仙

42

神奇的"孢子"

蕨

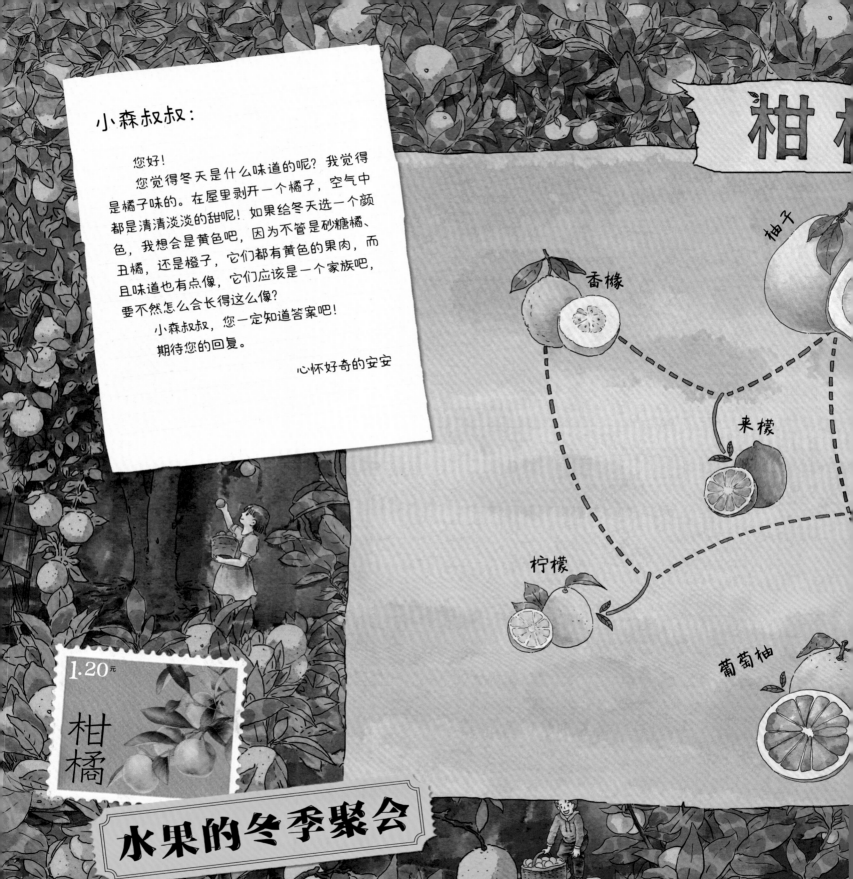

小森叔叔：

　　您好！
　　您觉得冬天是什么味道的呢？我觉得是橘子味的。在屋里剥开一个橘子，空气中都是清清淡淡的甜呢！如果给冬天选一个颜色，我想会是黄色吧，因为不管是砂糖橘、丑橘，还是橙子，它们都有黄色的果肉，而且味道也有点像，它们应该是一个家族吧，要不然怎么会长得这么像？
　　小森叔叔，您一定知道答案吧！
　　期待您的回复。

心怀好奇的安安

柑桔

柚子

香橼

来檬

柠檬

葡萄柚

1.20元

柑橘

水果的冬季聚会

6

家族

橘子

橙子

柑

安安：

你好，很开心收到你的来信。

在枯寂的冬日里，橘子是活泼、俊俏的一抹存在，如果选颜色，我也会选黄色吧。

你猜得不错，柑橘属于一个大家族，它们原产于中国，由阿拉伯人传遍欧亚大陆。我们现在所食用的所有品种都是从橘子、柚子、香橼（yuán）这3个种类演变而来的。在农历新年时，广东地区有些地方的人会互赠柑橘，象征幸福吉祥。我还知道在遥远的异国他乡，柑橘还曾经救过海员的生命，至于这个故事是怎样的，我以后会讲给你听。

祝你冬日也快乐！

你的大朋友小森

小森的植物笔记

香香的果皮

在植物学界，芸香科柑橘属，包含了许多人们熟悉的水果，如橙子、葡萄柚、柠檬以及酸橙。柑橘属厚厚的外皮中布满富含香气的油腺，本身就具有很强的挥发性，所以果皮很香，而且香味长久不散。

橙子是橘子和柚子的孩子

橙子的果肉兼有柚子和橘子的特点。这是因为橙子是野生柚和野生宽皮橘杂交出来的孩子，继承了父母的不同基因，一般个头会偏向于个头小的亲本，所以橙子比柚子小很多，更接近于橘子。果实的形状会取个中间值，跟双亲都有点像，所以果肉才兼有双亲的特点。

柑橘是怎么救海员性命的呢？

16—18世纪，坏血病在英国、荷兰及其他北欧国家的船员中流行，很多人为此失掉了生命。后来他们无意中发现有规律摄入柠檬、柑橘可以预防坏血病。随后，柑橘属水果成了常规的医疗实践物，因此水手们也被称为"柠檬人"。直到20世纪30年代，科学家们才了解清楚内在的原因：柑橘、柠檬等果实中含有的维生素C，具有抵抗坏血病的作用。科学家们据此阐述了维生素C的结构，并成功合成了维生素C。

（摘自《米莱植物文化报》）

春节送甜橙的习俗

中国人在新年的时候给拜年的人回赠一两枚甜橙，这种甜蜜的水果象征美好的生活，以此祝愿宾主都能获得幸福。有一种观赏植物叫金桔，春节很多大人们会买一盆放在家里，代表吉祥如意。

3

2

4

5

1

糕灯七六

柑橘
Citrus reticulata Blanco

别　　名：橘子	
科：芸香科	属：柑橘属
分布区域：我国南方各省区广泛栽培	
花　　期：4—5月	果　　期：10—12月

1.花枝；2.果；3.种子；4.果枝；5.幼果。

1.20元

水杉

植物界的"活化石"

小森叔叔：

您好！

上个星期天，您带着我和乐乐一起散步，我们还见到了像宝塔一样高大的水杉树。您当时说它是特别古老的植物，是我国特有的活化石，春天它的树叶是绿色的，到了秋天变成黄色，而冬天就成了这种漂亮的焦糖色。我很喜欢水杉，可惜相聚时间太短，我还想知道更多关于水杉的知识，您能回信告诉我吗？

期待您的回复。

心怀好奇的安安

2020/9/12 15:26 PM

希望公园　By: 安安

摄于：大东森林生态保护区　By：小森

2020/11/16 12:09 PM

/3/28 09:30 AM

路　By: 乐乐

安安：

　　你好，一回来就收到你的来信，真的非常愉快。

　　水杉的历史很长，大概在一亿多年前的中生代白垩纪，地球的气候十分温暖，北极不像现在那样全部覆盖着冰层，水杉的祖先在那时就已经生活在北极圈附近了，后来逐渐南移到欧、亚和北美洲，到第四纪冰川到来时，各洲的水杉相继灭绝，只有一小部分在我国华中一小块地方幸存下来，可是科学界却以为它已经消亡了。

　　直到1943年，我国植物学家在四川湖北交界山区发现三棵从未见过的奇异植物。1946年，科学家们证实它们就是一万年前在地球上生存过的水杉，是世界上珍稀的孑遗植物。这个发现震惊了全世界，此后逐渐有国家从中国引种栽培水杉，它也走出了中国，足迹几乎遍布全世界。这一植物界的活化石终于摆脱了濒临灭绝的命运，焕发出新的生机。

　　一粒种子要经过怎样的千回百转才会长成参天大树？当我们观赏水杉的时候，我时常在想，我们其实也在关照人类自身。

　　好了，希望我的回信能给你启发，也期待你的下次来信！

　　　　　　　　　　　　　　　　你的大朋友小森

小森的植物笔记

珍稀植物大盘点

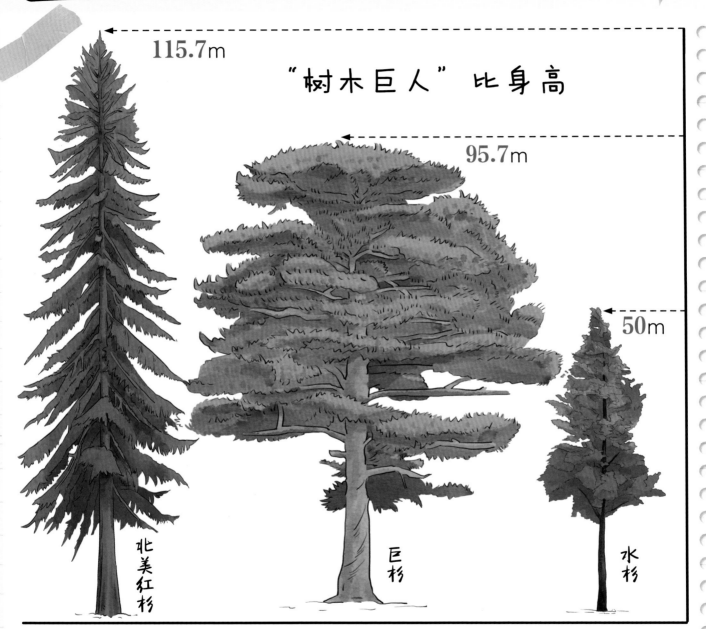

"树木巨人"比身高

115.7m

95.7m

50m

北美红杉

巨杉

水杉

北美红杉，是一种针叶树，属于古老的杉科，"红杉"这一称谓可以指加州红杉，也称"北美红杉"。

【特征】最高的树，也是最瘦长的树。

巨杉，它是杉科巨杉属唯一物种植物，或叫巨型红杉，相对会矮一些。

【特征】最粗最壮，十分雄伟。

水杉，1943年在中国发现的珍贵树种。

【特征】树形优美，适合生长在东方。

除水杉外
有一些珍稀植

金钱松

国家二级保护

鹅掌楸

国家二级保护

杪椤

国家二级保护

珙桐

国家一级保护

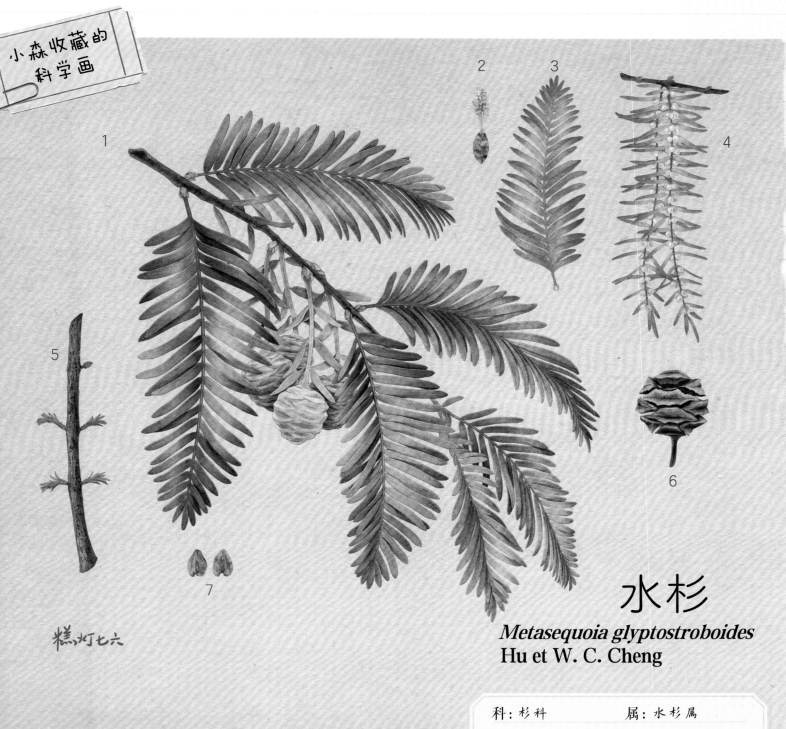

糕灯七六

水杉
Metasequoia glyptostroboides
Hu et W. C. Cheng

1. 枝条；2. 花；3. 叶；4. 花序；5. 嫩叶；
6. 球果；7. 种子。

科：杉科	属：水杉属
分布区域：我国各地普遍引种栽培	
花　　期：2月下旬	
果　　期：9—11月	

嗨，小森叔叔：

　　您好！
　　您一定猜不到我们在哪儿，这里是海南岛。

　　大海好棒呀，我和安安在堆沙堡！这里还有一种非常厉害的树——棕榈（这两个字可真难写！）。它长得好高大，叶子像大大的手掌平展开，很好看。

　　小森叔叔，我想您一定认识这种树吧，我想知道是不是只有热带才能种这种树，能不能把它移栽回家呢？

　　期待您的回信。

乐乐

1.20元

棕榈

热带的名片

嗨，乐乐：

你好！

真没想到你们居然去了那么远的地方，中国幅员辽阔，我这里还穿着厚棉衣，你们那里却是盛夏光景。

棕榈是我国栽培历史最早、分布最广的棕榈类植物之一，一般生长在低纬度地区，人们也叫它"棕树"。它喜欢温暖、湿润的气候，喜欢阳光，秦岭以南的很多地区都有它的身影，比如广东、广西、福建等。

此外，棕榈还是棕榈科家族的"明星"植物，椰子、蒲葵、槟榔、王棕也是家族的一员。可能你不熟悉它们的名字，但是看到叶子，你一定恍然大悟，原来早已和它们相识了，这就像新认识了一个老朋友。我认为，喜欢一种植物，也不一定非要把它带回家。

希望你们玩得开心！

你的大朋友小森

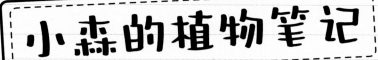

小森的植物笔记

棕榈全身都是宝

棕榈树花在花苞期时，是可以食用的，营养丰富，可以生吃，也可以炒吃和煮吃。棕榈果可以经过压榨制成棕榈油，棕榈油经过精炼分提，可以得到不同熔点的产品，有的可以食用，有的用于工业用途。

叶

帽、盖

果

叶鞘纤维

树干

棕榈油

人们从油棕果实中提取油棕油

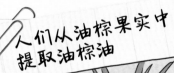

毛刷、蓑笠、床垫、绳索

油棕

出名的油棕，困难的博弈

棕榈家族最出名的种类要数油棕，它特别高大，又很长寿。它是一种重要的热带油料作物，油可供食用和工业用途。油棕原产非洲热带地区，在我国台湾、海南及云南的热带地区都有栽培。

对于欧洲人来说，油棕的最大价值是可以制成人造奶油，因为它加工程序较为简单，又价格低廉，成为人们替代黄油的首选，于是印度尼西亚和马来西亚也成了新的油棕种植地。马来西亚现在是世界上最大的

油棕油生产国，但油棕种植对马来西亚也造成了一定的影响，如雨林的大量减少，猩猩的居住家园变得越来越小。

（摘自《米莱植物文化报》）

1

2

3

4

Wuhuiying

棕榈

Trachycarpus fortunei
(Hook.) H. Wendl.

别　　　名	：唐棕、拼棕、中国扇棕、棕树、山棕	
科：棕榈科	属：棕榈属	
分布区域：长江以南各省区		
花　　　期：4—5月	果　　　期：9—12月	

1.种子；2.叶片；3.开花植株；4.果枝。

1.20元

槐

天地人和的占树

小森叔叔：

您好！

冬天走在街道上真是冷飕飕的，平时参天的大槐树也掉光了叶子，看着孤零零的。我还记得 5 月那会儿，在奶奶家的院子外面，槐花开满枝头的样子，爸爸说我眼前的槐树是国槐，跟奶奶家院里的不一样。

小森叔叔，您了解国槐吗，能给我讲讲它吗？

期待您的回复。

安安

安安：

　　你好，很开心你又有了新的疑问。

　　在风景胜地游玩，我们常常会看到"古树名木"的小牌子，这其实是国家认证的寿命在百年和数百年以上的出名品种，除了国槐，还有银杏、松柏、胡杨等，它们是一种独特的生态景观，也成为一个地方悠久历史的见证。

　　你这么一说，我也想起了初夏的五月那一眼望不到头的繁花来，随风摇曳的槐花，是那么沁人心脾。不过五月盛开的确实是洋槐。国槐与洋槐其实都很常见，国槐是豆科槐属植物，原产于我国北方，历史很悠久。而洋槐，也称为刺槐，原产北美东部，1877年才来到中国，它们同科不同属，所以外观很相似，可它们花期不同，4、5月份开的是洋槐，国槐要到6、7月份才会开花。

　　希望我的回答能帮助到你。

　　　　　　　　　　　　　　你的大朋友小森

小森的植物笔记

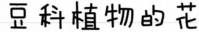

豆科植物的花

我们可以发现在豆科植物的花中，雌蕊和雄蕊隐藏在龙骨瓣内，为传粉的蜜蜂提供了天然的着落点。龙骨瓣嵌合在一起，当昆虫的重量向下压时，花柱的尖部会与蜜蜂的躯体接触到。除了花柱之外，花柱之下的雄蕊也会摩擦到昆虫躯体，使得花粉附着在昆虫身上。蜜蜂在访问下一朵花的时候，柱头有可能会接收到蜜蜂从前一朵花上获取的花粉，同时蜜蜂又会携带新的花粉。

槐米可以染布

北方农村种有大量的国槐，它夏天开花，干燥后的花蕾俗称槐米。洗净后放在石板上的石臼里，用木棒捶捣成糊状后，放在大锅里与白布一起煮并不断搅拌，四个小时后布就会变成黄绿色，晾干后色泽鲜艳，很受人们青睐。

国槐 or 洋槐 叶子和果实也不同

其实除了最好分辨的花期之外，国槐和洋槐也可以从叶子和果实上加以区分。

国槐的叶子是卵圆形的，顶端有尖，叶子底端也没有刺。而洋槐就不同了，不但底端有刺，叶片也是圆圆的，没有尖。

洋槐是一串串扁平的荚果，像干瘪的豆角，而国槐的果实像一粒粒的念珠，有肉质，圆圆的。

国槐

洋槐

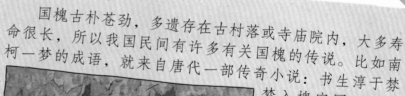

『神树』国槐和它的动人传说

国槐古朴苍劲，多遗存在古村落或寺庙院内，大多寿命很长，所以我国民间有许多有关国槐的传说。比如南柯一梦的成语，就来自唐代一部传奇小说：书生淳于梦梦入槐安国，金榜题名，又被招为驸马，被派任南柯郡太守，享尽荣华。而这一切都是一个发生于大槐树下的美梦而已，槐安国其实不过是大槐树下的蚂蚁世界。

（摘自《米莱植物文化报》）

3

2

4

1

L.R.

槐
Styphnolobium japonicum
(L.) Schott

1.花枝；2.种子；3.花；4.果。

别 名	:国槐、槐树、槐蕊、豆槐、白槐、细叶槐	
科:豆科	属:槐属	
分布区域:我国南北各省区广泛栽培		
花 期:6—8月	果 期:8—10月	

瓦松

1.20元

萌萌的多肉植物

嗨，小森叔叔：

您好！

告诉您一个好消息，爸爸的花园里添了很多多肉植物，它们好可爱，有的像米老鼠，有的像兔子耳朵，还有的像缩小的莲花……我一有时间就跑去观察它们：是不是长高了？有没有在抽花梗呢？我最喜欢的一款多肉长得像宝塔，爸爸说它叫瓦松，还是原产于中国的植物呢！

小森叔叔，您了解瓦松吗，可以给我讲讲它的故事吗？

期待您的回复。

乐乐

嗨，乐乐：

　　你好，很开心收到你的来信。
　　瓦松很神奇，我们在屋顶瓦片上可以见到它，远望如松栽，所以得名瓦松。它的个头不高，顶端高耸如尖锥，有碧青、灰棕、墨绿、黝红等颜色。它不娇气，一点水就能在屋顶恣意生长，既不怕晒也不怕涝，在多雨的南方也能适应潮湿的环境，还极少烂根，是景天科中很好养的植物了。
　　而且它的花也很漂亮，是伞房状圆锥花序，呈现出淡淡的红色。如果在南方小镇有幸看到它就是一幅绝美的风景：灰色的瓦当上长着奶绿的瓦松，或是屋檐上绽放着淡紫的花，展示着与众不同的魅力。
　　希望我的回答能帮助到你。

　　　　　　　　　　你的大朋友小森

小森的植物笔记

叶子会"分身术"的多肉

多肉植物大都具有肥厚的叶片，每一枚叶片里都储存了大量的水分及养分，让它们能够在雨量少的干旱地区存活。多肉植物还具有另一项超能力。叶片如果不小心受到撞击而掉落，储存在里面的水分和养分可不会就此白白浪费掉。每一片掉落的叶片，都可以直接冒出小芽，向下长根，渐渐长成一棵全新的植物。而且有叶片提供营养，小芽成长的速度，比种子萌发的芽快很多，存活率也更高，帮助它们在艰困的环境中繁衍后代。

瓦松特别容易活，取一片儿瓦松的叶片，用手轻轻地拔下，先放置在阴凉的环境中进行晒晾，晾干之后，扦插在湿润的沙土里，放置在通风的环境中，就能长出新的瓦松，试着来种一盆吧。

多肉植物都有哪些绝招不被吃掉呢?

多肉植物特别有趣，为了不被吃掉，它们都有自己的办法。

比如生石花，它可是伪装的高手。它的两片肉质叶呈圆形，看上去就像一块块半埋在土里的"小石块"一样。这些灰绿色、灰棕色或棕黄色的"小石块"表面有一些深色的花纹，就像美丽的雨花石。另外一些则布满了深色的斑点，就像花岗岩的碎块，鸟兽们被它的外表所欺骗，很少会来吞食它们。比较而言，仙人掌的防御方式则更加直接，刺就是它最原始的防御武器，就像古代军队战士的刀剑。它为了适应干旱环境，身体里贮存了很多水分，外面却长了很多硬刺，动物们看到这些像獠牙的硬刺可不敢靠近半分。

什么是多肉植物呢?

多肉植物实际上是园艺界的用语，在定义上是模糊的，不是植物学上拥有明确定义的分类，简单来说，就是其茎、叶、根至少有一种是肉质组织的植物就是多肉植物。它们大多集中在景天科、番杏科、仙人掌科。

1

2

3

糕灯七六

瓦松
Orostachys fimbriata
(Turczaninow) A. Berger

1. 花；2. 幼嫩植株；3. 全株。

别　　名：瓦花、瓦塔、狗指甲
科：景天科　　　　属：瓦松属
分布区域：东北华北华东华中
花　　期：8—9月　果　　期：9—10月

小森叔叔：

您好！
下雪啦，今天我和小伙伴们在梅园里打雪仗。我可聪明了，绕着梅树跑，他们怎么也抓不到我。实在玩累了，我停下来休息，才渐渐闻到梅花的清幽香气，突然就想起王安石的《梅花》中的诗句"凌寒独自开"。明明很多花都会在春天开放，为什么梅花会不一样，喜欢在冬天绽放呢？
小森叔叔，您能告诉我吗？
期待您的回复。

安安

1.20元

梅

最有气节的花

安安：

　　你好，很开心你又有了新的疑问。

　　梅太过出名了，自古就深得文人的喜爱，也是"岁寒三友"之一。

　　梅树开花需要经过低温来形成花芽，适合它开花的温度在 -5℃~-7℃，这时正是中国大部分地区的冬季。在长江流域，它的花期会从12月持续到翌年3月，独放于百花之前。它迎雪吐艳，凌寒飘香，铁骨冰心的崇高品质和坚贞气节鼓励了中国人，它也逐渐成为不畏艰险，奋勇开拓的精神象征。

　　我也听说有些栽培的梅花已经可以在黄河以南安全露地越冬，真希望北方的小朋友们也有机会去看看这颇有气节的花。

　　好了，期待我的回答能帮助到你。

　　　　　　　　　　　你的大朋友小森

小森的植物笔记

梅子

梅的果实梅子可以吃，生食能生津止渴，也可制成话梅、梅干等各式蜜饯和梅酱、梅膏等物，还可以制酒，据说梅子酒是优良的果酒，在日本和韩国广受欢迎。

梅花

经常在照片中或者古人的书画作品中到梅花，梅花花瓣五片，有白、红、粉红种颜色，花瓣较密集且厚重。

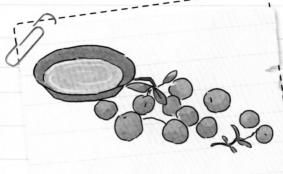

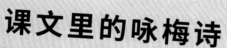

课文里的咏梅诗

人们喜欢梅花的高洁品德，所以咏梅的诗就特别多，"墙角数枝梅，凌寒独自开"，这是王安石的《梅花》；"驿外断桥边，寂寞开无主。已是黄昏独自愁，更著风和雨"，这是陆游的《卜算子·咏梅》；"不要人夸好颜色，只留清气满乾坤"，这是大画家王冕的《墨梅》；还有这首"待到山花烂漫时，她在丛中笑"，这是伟人和诗人毛泽东的《卜算子·咏梅》。

（摘自《米莱植物文化报》）

赏梅迎春的习俗

在古代，每年冬天梅花盛开的时候，有学问的人喜欢赏梅花，《红楼梦》里就有类似的场景，说的是贾宝玉写诗输了，大家罚他冒着雪去妙玉那里要红梅的故事。

（撰稿 实习编辑）

梅
Armeniaca mume Sieb.

1. 花枝； 2. 花瓣； 3. 果枝； 4. 果实截面； 5. 种子。

别　　名：梅花、春梅	
科：蔷薇科	属：杏属
分布区域：我国各地均有栽培	
花　　期：1—3月	果　　期：5—6月

1.20元
榕树

独木也成林

嗨，小森叔叔：

　　您好！
　　二叔公快过生日了，我跟爸爸来福州乡下看他，南方的乡村空气真好，一派绿意盎然，我都不想回去了。小森叔叔，您知道吗？我见到了一种神奇的树，一棵树就能长成一座森林，它不仅有正常的树根，还有很多像胡须一样的细根呢！
　　您一定猜不出这是什么树吧？小森叔叔，如果您猜到了就请告诉我吧！
　　期待您的回复。

乐乐

嗨，乐乐：

　　你好！

　　因为你给的线索有点多，所以我猜它一定是榕树。你说的像胡须状的根，学名叫气生根，它能让榕树直接从潮湿的空气里吸收气体、保持水分，而且这些气生根会越长越长，接触到地面后，就会钻入地下，并且开始变粗，变成类似枝条的支持根，让榕树就像拄着一根根的拐杖一样。这些支持根能支撑树木的重量，让榕树站得更稳固，也能帮助榕树向外延伸，扩展领地。

　　榕树的气生根接触到地面后，会长成支柱根，像枝干一样。一棵榕树可能有多达上百根的支持根，远看像是一片树林，其实仅是由一棵树拓展而来的。所以，人们也说榕树有"独木成林"的本领。

　　至于榕树为什么会长这种根呢？是因为榕树一般会生长在潮湿的热带地区，当空气中的水分很多时，榕树为了取得更多水分，除了用土壤下广大的根系吸收土壤中的水分外，就会特化出气生根来吸收空气中的水分。所以，这也是一种自然选择的必然结果。

　　好了，以上就是我的答案了。

　　也祝你的二叔公寿比南山！

你的大朋友小森

小森的植物笔记

看不到榕树的花

榕树长年都郁郁葱葱的，好像从来没见到过榕树开花，只见结果。其实榕树也是会开花的，只是它的花被榕果包裹在里面，我们看不到花，这种花叫作隐头花序，跟无花果是一样的。

○无花果

榕树授粉的"绝技"

既然看不到花，那么蜜蜂、蝴蝶要怎么给榕树传粉呢？其实就因为榕树的这种特性，不管是蜜蜂、蝴蝶还是风都是无能为力的。因此它是靠寄生在瘿（yǐng）花*内的榕小蜂来为它做媒，传授花粉。榕小蜂非常小，可以藏在只有2~3毫米的瘿花中。

当雌花和雄花开放时，榕小蜂已经成熟。雄蜂从瘿花子房壁上咬开一个小洞爬进来，然后开始寻找雌蜂寄生的瘿花，找到以后，雄蜂就在雌蜂寄生的瘿花上咬开一个小洞，与雌蜂交尾。雌蜂交尾后会扩大雄蜂咬开的小孔，然后钻出瘿花。雌蜂有完好的触角和翅膀，可以飞向其他花序，产卵繁殖。雌蜂在产卵过程中，就为榕树传授了花粉。

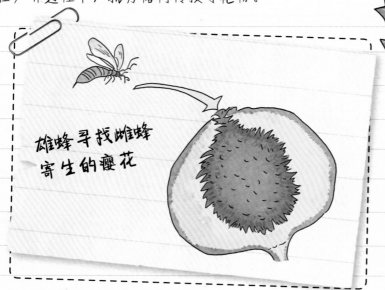

雄蜂寻找雌蜂寄生的瘿花

*榕树的隐头花序里有雌花、雄花、瘿花三种花。瘿花是由雌花特化而来的中性花，榕小蜂在里面产卵、孵化。

那些奇奇怪怪的大木板

特约撰稿◎米莱自然科学小组

热带雨林的树种有部分会形成板状根，例如有一种叫高山榕的榕树。它们就像一块块奇怪的"大木板"，又厚又硬。这在植物学有一个特别的名称叫作板状根。这也是热带树木特有的现象，因为热带雨

林降雨量大，土壤常被大量的雨水冲刷而流失，所以土壤层很薄，植物的根没有办法往土壤的深处扎根，许多植物得不到足够的支撑，因此没办法长得很高，无法争取到更多的阳光，制造更多养分。为了生存，它们发展出了板根结构，根在树干的基部变形成直立板状构造，这些板状构造环绕着树干，往四面八方发展，稳稳支撑住树木，因此可以高人一等，不被其他植物遮蔽阳光，抢先取得珍贵的光照。

L.R.

3   4

1. 果枝；2. 气生根；3. 果实；4. 隐头花序。

榕树
Ficus microcarpa L. f.

别　　　名：细叶榕、万年青	
科：桑科	属：榕属
分布区域：长江以南的部分省区	
花　期：5—6月	果　期：6—8月

1.20元

侧柏

四季常绿的硬汉

小森叔叔：

　　您好！

　　告诉您一个好消息，我终于来天坛了！

　　以前经常在电视里看见天坛的样子，说这里是古代皇帝祈福的地方，到了才发现果然是大气恢宏，这里不仅有祈年殿，还有珍贵的侧柏树，据说这些都是古树，有几百年历史，古代帝王庭院常常会栽种这种树。

　　小森叔叔，您知道为什么侧柏会种在这里吗？

安安

安安：

　　你好！

　　侧柏是中国应用最广泛的园林绿化树种之一，自古以来就常栽植于寺庙、陵墓和庭院中，用于营造出肃静清幽的气氛。而天坛是古代帝王祭天的地方，祈年殿、皇穹宇在建筑形式、色彩上与柏墙相互呼应，巧妙地表达了"大地与天通灵"的主题。

　　不仅在北京，在陕西省黄帝陵轩辕庙内也有许多侧柏，其中有一株人称轩辕柏，相传为黄帝亲手种植。我们常说，轩辕黄帝是五千年中华文明的奠基者，黄帝手植柏被看成是黄帝精神、也是中华民族精神的象征，我觉得这些古柏树就是活的文物，象征着中华民族生生不息的精神。

　　期待我的回答能帮助到你。

你的大朋友小森

小森的植物笔记

柏树也落叶

人们常用成语"岁寒松柏"来比喻在逆境中能保持节操的人，是取松柏四季常青之意。其实松柏也会落叶，只是它们的叶子并不会一下子全部掉光，而是在新叶生出以后，老叶才会陆陆续续脱落下来。因此，它的茎枝上始终都长有鲜绿的绿叶，让人误以为它是四季常青的植物。

用作木材的柏树

在中国古代，木材作为栋梁，广泛应用于寺庙、宫殿、塔院与民房等建筑构架中，而柏树材质坚实平滑、纹理美观，有很强的耐腐性，这些优点使它作为"百木之长"，成为古代建筑的上好木材。

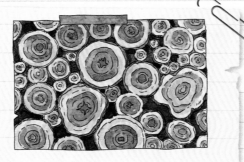

文化底蕴深厚的古侧柏

古侧柏具有丰富的文化内涵，在古都北京有名的古柏就数不胜数，比如中山公园南坛门外的7株粗壮古柏为辽代兴国寺之遗物，至今已逾千年，故称"辽柏"。它们个个挺拔苍劲，树姿各异，而第7株辽柏由于分枝上再次生分枝，宛若千手观音。天坛回音壁外西北侧的"九龙柏"、故宫御花园天一门内的"连理柏"都是游客们喜欢的打卡地，这些古侧柏如一座座丰碑，记录着历史的沧桑、时代的兴衰。

（摘自《米莱植物文化报》）

从叶形来说，松科和柏科植物最容易辨认，因为松科是细长的针状叶，且在枝上螺旋状互生，也就是说松枝的每个节上只生有一片叶，而且每根枝条上的叶都呈螺旋状排列。同时，由于松树针叶的尖端十分尖锐，因此摸上去十分扎手。而柏树则是对生或轮生叶，也就是说每节上会着生 2~3 片叶，且叶上多会分布龙鳞状的鳞片。杉树的叶子是像羽毛一样分成两列排列的，叶子是条状披针形。

怎么辨认松、杉、柏？

柏　松　杉

糕灯七六

侧柏
Platycladus orientalis
(L.) Franco

1. 果枝; 2. 种子; 3. 球果; 4. 雌球花; 5. 花枝。

别　　　名:	柏树、扁柏、香柏	
科: 柏科		属: 侧柏属
分布区域:	青海、新疆以外的大部分省区	
花　　　期: 3—4月	果　　　期: 8—10月	

1.20元

蕨

神奇的"孢子"

嗨，小森叔叔：

您好！
真开心您能跟我一起逛热带植物园，您还给我讲了那么多植物学的知识。我对蕨类植物尤其感兴趣，您说现在生存在地球上的蕨类有1.2万种，我国大概有2600多种，光云南就有1000多种。您还说它跟恐龙有莫大的关系。到底是什么关系呢？您能回信告诉我吗？
期待您的回复。

乐乐

嗨，乐乐：

　　你好！
　　蕨类植物是植物界中的一大类群，具有非常古老的历史。
　　当恐龙在地球上占统治地位时，苔藓植物、蕨类植物和裸子植物正处于繁盛期。相比之下，蕨类植物的茎富含淀粉，枝干也并不强韧，适于动物们咀嚼；而裸子植物由于具有发达的木质部不利于咀嚼，且叶中含有大量丹宁因而口感不佳；另外，苔藓植物的植株太过矮小，估计巨龙们用"嘴啃泥"式的方法也是啃不到的。于是，蕨类植物也理所当然地在这三类植物之中胜出，成为植食性恐龙的不二之选，尤其是树蕨，更是受到脖颈细长的恐龙们的喜爱。后来恐龙灭绝了，蕨类靠着顽强的生命力生生不息。这就是它与恐龙的秘密。
　　怎么样，你猜到了吗？

　　　　　　　　　　　　你的大朋友小森

小森的植物笔记

如今所有陆生高等植物都直接或间接起源于蕨类，苔藓植物成功登陆之后，一支名叫绿藻的族群通过不力逐渐适应了陆地生活，成为裸蕨类植物。就是经过进化，蕨类植物具有了极强的适应性，它们可以在沙养分及水的地方生长。这得益于它简单的构造：地上以叶片为主，地下则有匍匐茎在地底到处拓展领地。当环境中的水减少时，蕨类也有耐旱策略，可以度过干旱危机。

蕨类植物的繁殖

用放大镜观察蕨类植物的花。会发现它们没有花，不能生成种子，它们依靠孢子繁殖。

这些孢子就位于叶子的下表面。在自然界中，成熟的孢子通过风来传播，一棵蕨类植物一年可以生成几百万个孢子，当孢子落到理想的生长地点，即阴暗、潮湿的土壤里，便开始萌发。

孢子的排列方式多种多样，有的是小点点，有的是细长条；有的散落在叶背面，有的分布在叶边缘；有的对称，有的随机。

蕨类植物大家族

桫椤

鸟巢蕨

卷柏

鹿角蕨

肾

蕨叶标本装饰画

1. 先去找几棵蕨类植物吧！找到后采几片叶子回来。

2. 将你采来的叶子平铺，摆好造型，然后夹在两张蜡纸中间，放在几本厚一点的书本之间，放上重物平压2~3天。

3. 选择一张背景纸，将压好的叶子用少量的胶水粘贴在背景纸上。

4. 用一个合适的玻璃相框将粘贴好的纸和枝叶镶嵌起来就大功告成了。

糕灯七六

2

3

1

4

蕨

Pteridium aquilinum
var. *latiusculum* (Desv.)
Underw.ex Heller

1. 枝叶；2. 拳卷叶；3. 孢子；4. 根。

别　　名：蕨菜	
科：蕨科	属：蕨属
分布区域：全国各地	
繁 殖 期：5—8月	

1.20元

水仙

少女的舞裙

嗨，小森叔叔：

您好！

新春快乐呀！

我正在窗前给您写信，妈妈在窗台上放了几盆水仙，它的花朵清丽，清秀典雅，像小小的杯盖，又像婀娜的舞裙，特别好看。在这个特别的日子里，突然想起您，感谢您对我们的耐心和热心，这一年来，我和安安认识了不少新的植物，也在了解它们的过程中，更加喜欢它们。就像眼前这盆水仙，以前我肯定以为它就是盆韭菜吧。

小森叔叔，您也喜欢水仙花吗？

期待您的回复。

乐乐

嗨，乐乐、安安：

你们好！

过年时，我也会摆上一盆水仙花，这是从古代就有的习俗。水仙花别称金盏银台、玉玲珑，以一圈标志性的金色副花冠得名，它们竖立在白纸般的花瓣中间，在水中亭亭玉立，宛如仙子踏着清波，所以水仙被人们称为"凌波仙子"。

水仙根如银丝，叶子碧绿葱翠，花香浓郁，格外动人。水仙花开正值农历春节，人们喜欢在室内摆上一盆水仙，不仅可以为节日增添光彩，还能给家人带来一份绿意和温馨，象征着来年的好运气。

也感谢你们这一年的陪伴，我感到很快乐！
祝你们新春快乐！茁壮成长！

你的大朋友小森

小森的植物笔记

水仙可不是韭菜，不能乱吃

水仙不开花时，叶片像韭菜，可它却不是韭菜，鳞茎有石蒜碱，毒性很大，所以千万不要嘴馋吃它。其实我们盆栽的很多植物都有毒，如夹竹桃、滴水观音，这也是植物的一种自我保护。

水仙离开水也可以活

我们一般见到的水仙都是养在水里的，其实水仙离开水也可以活。在福建漳州等地的水仙就是种在沙土里的，选一两枚水仙种球，种在土盆中也可以成活。

葡萄风信子

郁金香

番红花

夏雪片莲

水仙

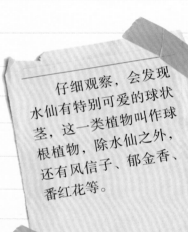

仔细观察，会发现水仙有特别可爱的球状茎，这一类植物叫作球根植物，除水仙之外，还有风信子、郁金香、番红花等。

制作水仙小盆栽

1. 初冬时节选取水仙球茎。洗干净球体上的泥土，可以剥去水仙球茎上那一层褐色的皮膜，阳光下晒3~4小时。用刀在球的顶部划"十"字，放入水中浸泡24小时。

2. 将水仙球茎放入一个浅盆中，加水入盆，浸没球茎的三分之一位置。

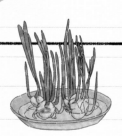

3. 水仙要每隔2~3天进行一次换水，如果花苞长出后，就可以改成7天换一次水。还要保证水仙有足够的光照，这样水仙花会开得更加娇艳。

44

L·R.

水仙

Narcissus tazetta
var. *chinensis* M.Roener

1. 植株；2. 球茎；3. 花冠；4. 雄蕊；
5. 花冠筒纵截面；6. 子房纵切面。

别　　　名：中国水仙	
科：石蒜科	属：水仙属
分布区域：我国各地普遍引种栽培	
花　　期：1—2月	果　　期：4—6月

植物界

孢子植物
（无种子）

无茎叶
无根
藻类植物门

有茎叶

无根（假根）
苔藓植物门
藓纲
真藓目
葫芦藓科
葫芦藓属

有根
蕨类植物门
蕨纲
真蕨目
蕨科
蕨属

裸子植物门
（种子无果皮包被）

银杏纲
银杏目
银杏科
银杏属

松杉纲
松杉目

杉科
水杉属

柏科
侧柏属

葫芦藓

蕨

银杏

水杉

侧柏

芭

芭

茜草目
忍冬科
忍冬属

虎耳草目
芍药科
芍药属

桔梗目
菊科

菊属   蒲公英属   风毛菊属

蔷薇目

唇形目
唇形科
薄荷属

伞形目
五加科
人参属

锦葵目
锦葵科
蜀葵属

忍冬

牡丹

菊花

蒲公英

雪莲花

蔷薇科

豆科

薄荷

人参

蜀葵

杏属   蔷薇属   桃属

合欢属   槐属

梅   月季花   桃

合欢   槐

植物"大家谱"

种子植物
（有种子）

被子植物门
（种子有果皮包被）

单子叶植物纲

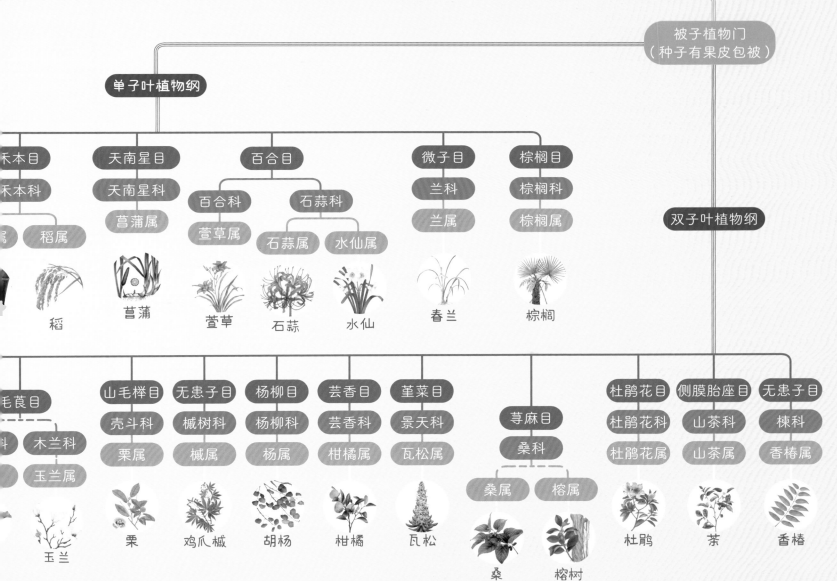

禾本目 — 禾本科 — 稻属 — 稻

天南星目 — 天南星科 — 菖蒲属 — 菖蒲

百合目 — 百合科 — 萱草属 — 萱草

石蒜科 — 石蒜属 — 石蒜 / 水仙属 — 水仙

微子目 — 兰科 — 兰属 — 春兰

棕榈目 — 棕榈科 — 棕榈属 — 棕榈

双子叶植物纲

毛茛目 — 木兰科 — 玉兰属 — 玉兰

山毛榉目 — 壳斗科 — 栗属 — 栗

无患子目 — 槭树科 — 槭属 — 鸡爪槭

杨柳目 — 杨柳科 — 杨属 — 胡杨

芸香目 — 芸香科 — 柑橘属 — 柑橘

堇菜目 — 景天科 — 瓦松属 — 瓦松

荨麻目 — 桑科 — 桑属 — 桑 / 榕属 — 榕树

杜鹃花目 — 杜鹃花科 — 杜鹃花属 — 杜鹃

侧膜胎座目 — 山茶科 — 山茶属 — 茶

无患子目 — 楝科 — 香椿属 — 香椿

图书在版编目（CIP）数据

冬天，很高兴认识你！ / 米莱童书著，绘. -- 北京:北京理工大学出版社，2021.7
（2025.1重印）
（中国植物，很高兴认识你！）
ISBN 978-7-5682-9752-3

Ⅰ. ①冬… Ⅱ. ①米… Ⅲ. ①植物—中国—儿童读物Ⅳ. ①Q948.52-49

中国版本图书馆CIP数据核字(2021)第068046号

出版发行 / 北京理工大学出版社有限责任公司
社　　址 / 北京市丰台区四合庄路6号
邮　　编 / 100070
电　　话 / （010）82563891（童书出版中心）
网　　址 / http://www.bitpress.com.cn
经　　销 / 全国各地新华书店
印　　刷 / 朗翔印刷（天津）有限公司
开　　本 / 787毫米×1092毫米　1 / 12
印　　张 / 4
字　　数 / 100千字
版　　次 / 2021年7月第1版　2025年1月第10次印刷
定　　价 / 50.00元

责任编辑 / 户金爽
文字编辑 / 李慧智
责任校对 / 刘亚男
责任印制 / 王美丽